Contents

der Vogel

das Pferd

die Katze

Tiere

die Maus

die Schildkröte

das Kaninchen

der Fisch

der Hund

1

Tiere (Animals)

Schreib das korrekte deutsche Wort zu jedem Bild:
(Write the correct German word under each picture:)

1)  *der Fisch*

2)

_____

3)

4)

_____

5)

_____

6)

_____

8)

7)

_____

 der Hund   der Fisch   der Vogel   die Katze   die Schildkröte    die Maus   das Pferd   das Kaninchen

Welches Tier ist das? (What animal is it?)

Schreib das korrekte deutsche Wort unter jedes Bild:
(Write the correct German word under each picture:)

1)

der Hund

2)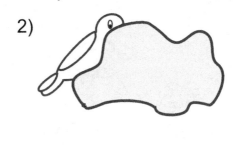

_____

3)

_____

4)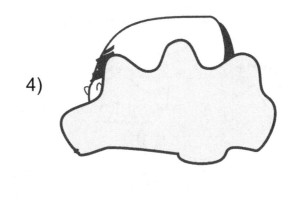

_____

5)

_____

6)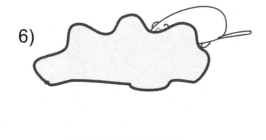

_____

7)

_____

der Hund   der Fisch   der Vogel   die Katze   die Schildkröte   die Maus   das Pferd   das Kaninchen

Zählen macht Spaß! (Counting is fun!)

Zähle und notiere die richtige Anzahl auf Deutsch.
(Count and write the correct number in German.)

sieben ✏

_____ Hund**e**

_____ Pferd**e**

_____ V**ö**gel

_____ Katze**n**

_____ Fisch**e**

_____ M**äu**s**e**

_____ Kaninchen

_____ Schildkröt**en**

1	2	3	4	5	6	7	8	9	10
eins	zwei	drei	vier	fünf	sechs	sieben	acht	neun	zehn

4

Hast du Haustiere? (Do you have a pet?)

Ich heiße ….. My name is   Ich habe ….I have   und …and

Ich heiße Stefanie.
Ich habe eine Katze.

Ich heiße Peter.
Ich habe einen Hund.

Ich heiße Thomas.
Ich habe ein Pferd.

Ich heiße Sarah.
Ich habe ein Kaninchen.

Ich heiße Caroline.
Ich habe einen Vogel.

Ich heiße Benjamin.
Ich habe einen Fisch und
eine Schildkröte.

Beantworte die Fragen: (Answer the questions:)

1) Who has a horse? _____

2) Who has a dog? _____

3) What pet does Stefanie have? _____

4) What pet does Sarah have? _____

5) Who has two pets? _____

6) Who has a bird? _____

Welche Farbe haben sie? (What colour are they?)

Mal die Bilder in der richtigen Farbe an:
(Colour the pictures using the correct colour:)

rot = red	blau = blue	gelb = yellow	grün = green
grau = grey	weiß = white	schwarz = black	braun = brown

Der Vogel ist rot.

Die Schildkröte ist grün.

Das Pferd ist braun.

Die Maus ist weiß.

Die Katze ist schwarz.

Der Hund ist braun.

Das Kaninchen ist grau.

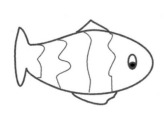

Der Fisch ist gelb.

Der Fisch ist blau.

Hast du Haustiere? (Do you have a pet?)

Ich habe = I have   Ich hätte gern = I would like

> *Hallo!*
> *Hast du Haustiere? Ich habe einen Fisch.*
> *Der Fisch ist orange. Ich hätte gern einen Hund.*
> *Bis bald!*
>   *Peter*

> *Hallo!*
> *Ich habe eine Katze .*
> *Die Katze ist schwarz.*
> *Ich hätte gern ein Pferd.*
>   *Bis bald!*
>   *Stefanie*

> *Hallo!*
> *Ich habe eine Schildkröte.*
> *Die Schildkröte ist braun.*
> *Ich hätte gern ein Kaninchen.*
> *Bis bald!*
>   *Sarah*

Füll die Tabelle aus! (Fill in the table)

	What pet does he/she have?	What colour is the pet?	What pet would he/she like to have?
Peter			
Stefanie			
Sarah			

Gitterrätsel (wordsearch)

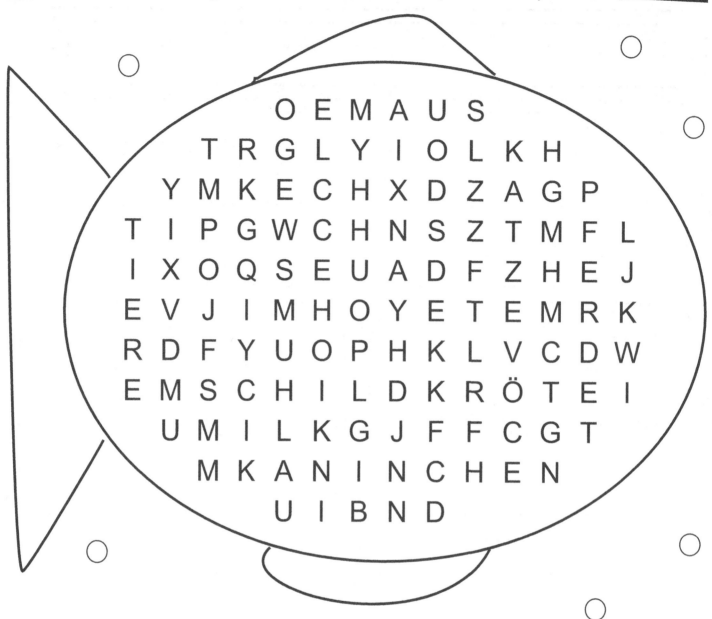

```
        O E M A U S
      T R G L Y I O L K H
    Y M K E C H X D Z A G P
  T I P G W C H N S Z T M F L
  I X O Q S E U A D F Z H E J
  E V J I M H O Y E T E M R K
  R D F Y U O P H K L V C D W
  E M S C H I L D K R Ö T E I
  U M I L K G J F F C G T
    M K A N I N C H E N
        U I B N D
```

Such die Wörter (look for the words)

TIERE	FISCH	VOGEL
KATZE	SCHILDKRÖTE	MAUS
HUND	KANINCHEN	PFERD

elf

zwölf

dreizehn

vierzehn

fünfzehn

sechzehn

siebzehn

Zahlen 11 - 20

achtzehn

neunzehn

zwanzig

Zahlen 1 - 20

Trag die fehlenden Zahlen ein: (Fill in the missing numbers)

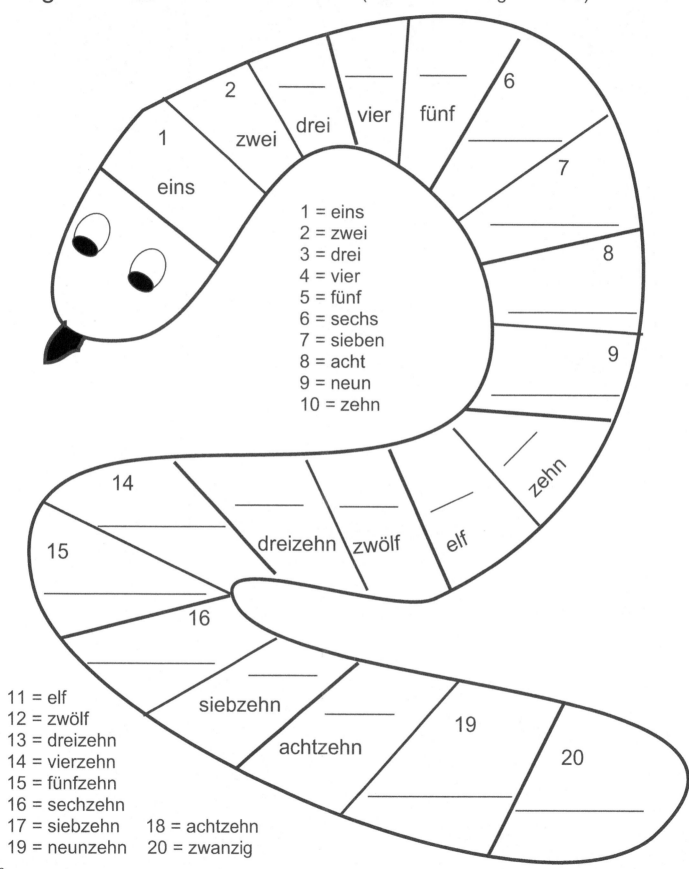

1 = eins
2 = zwei
3 = drei
4 = vier
5 = fünf
6 = sechs
7 = sieben
8 = acht
9 = neun
10 = zehn

11 = elf
12 = zwölf
13 = dreizehn
14 = vierzehn
15 = fünfzehn
16 = sechzehn
17 = siebzehn   18 = achtzehn
19 = neunzehn   20 = zwanzig

10

Zählen macht Spaß! (Counting is fun!)

Zähle und notiere die richtige Anzahl auf Deutsch.
(Count and write the correct number in German.)

a)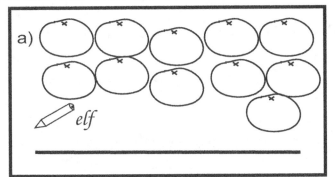

elf
_____

b)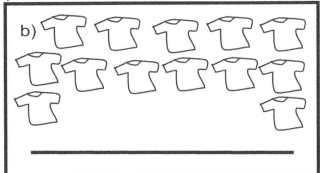

_____

c)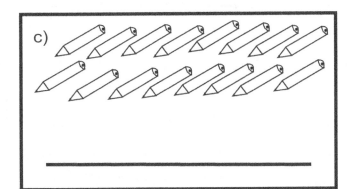

_____

d)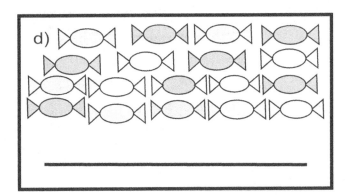

_____

e)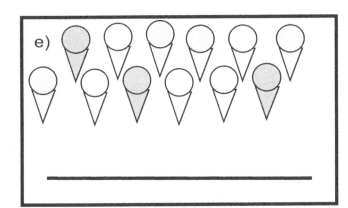

_____

f)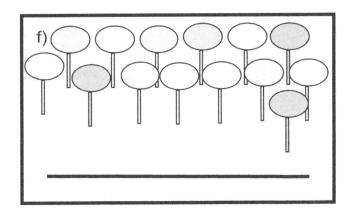

_____

g)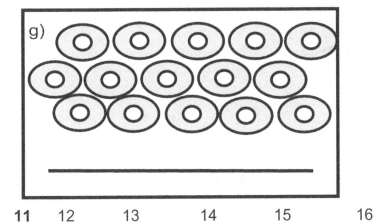

_____

h)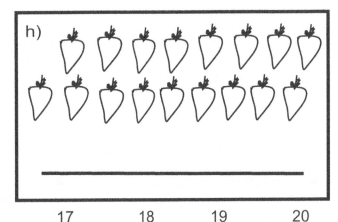

_____

11	12	13	14	15	16	17	18	19	20
elf	zwölf	dreizehn	vierzehn	fünfzehn	sechzehn	siebzehn	achtzehn	neunzehn	zwanzig

Zahlen 11 - 20

Welche Zahl ist das? (What number is it?)

c a h h z t e n

l e f

elf

z n e h
e s h c

e r v e
z h n i

f w z l ö

w i a z z n g

z s i h e n e b

11	12	13	14	15	16	17	18	19	20
elf	zwölf	dreizehn	vierzehn	fünfzehn	sechzehn	siebzehn	achtzehn	neunzehn	zwanzig

Welche Farben haben die Roboter?

(What colour are the robots?)

Mal die Roboter in der richtigen Farbe an: (Colour the robots in the correct colour:)

Roboter Nummer elf ist rot. (Robot number 11 is red)

Roboter Nummer vierzehn ist blau.

Roboter Nummer siebzehn ist rosa.

Roboter Nummer dreizehn ist gelb.

Roboter Nummer zwanzig ist grün.

Roboter Nummer sechzehn ist lila.

rot ...... red

blau .....blue

rosa .... pink

gelb .....yellow

grün ....green

lila ......purple

11	12	13	14	15	16	17	18	19	20
elf	zwölf	dreizehn	vierzehn	fünfzehn	sechzehn	siebzehn	achtzehn	neunzehn	zwanzig

Lass uns rechnen! (Let's do the calculations!)

Schreib die Lösungen auf deutsch: (Write the answers in German)

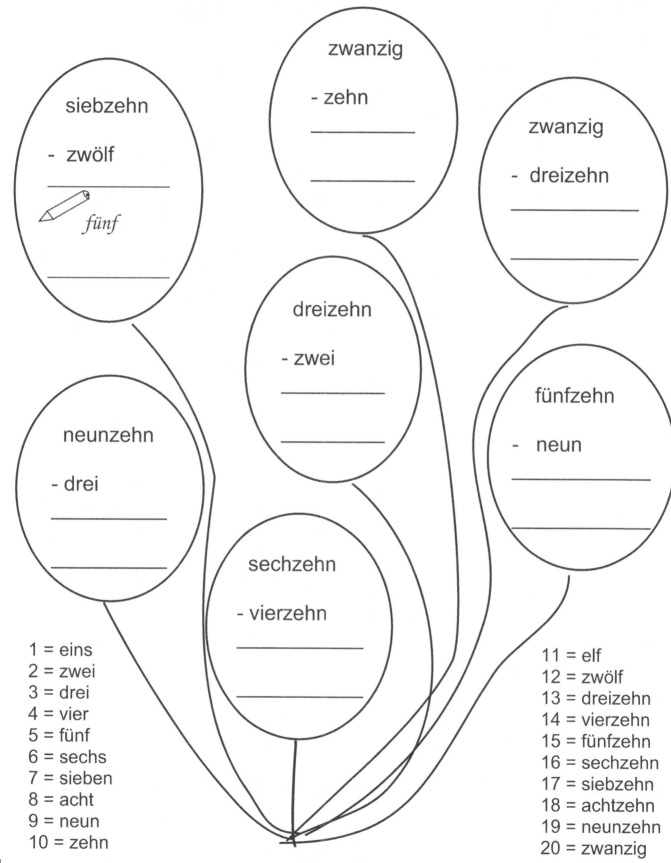

zwanzig

- zehn

_____

_____

siebzehn

- zwölf

_____

fünf

_____

zwanzig

- dreizehn

_____

_____

dreizehn

- zwei

_____

_____

neunzehn

- drei

_____

_____

fünfzehn

- neun

_____

_____

sechzehn

- vierzehn

_____

_____

1 = eins
2 = zwei
3 = drei
4 = vier
5 = fünf
6 = sechs
7 = sieben
8 = acht
9 = neun
10 = zehn

11 = elf
12 = zwölf
13 = dreizehn
14 = vierzehn
15 = fünfzehn
16 = sechzehn
17 = siebzehn
18 = achtzehn
19 = neunzehn
20 = zwanzig

14

Gitterrätsel (wordsearch)

```
        J K L M B I
      J V I E R Z E H N
    N B H V G C G F V C F S
    N E U N Z E H N Y U L J E
    I O P J H G F V C Ö F R C Y
  F Ü N F Z E H N R W H D J H V
  U J K L L H G B Z V C R C Z F
  S I E B Z E H N Y Z J E K E B
  I A C H T Z E H N W N I J H M
    Y J K H G B V F A F Z D N G
    I J K L J F J K N J E H G
      K L U L H J B Z Y H H I
        E J K L U I B N
          I K U G
```

Such die Wörter (look for the words)

ELF	VIERZEHN	SIEBZEHN	ZWANZIG
ZWÖLF	FÜNFZEHN	ACHTZEHN	
DREIZEHN	SECHZEHN	NEUNZEHN	

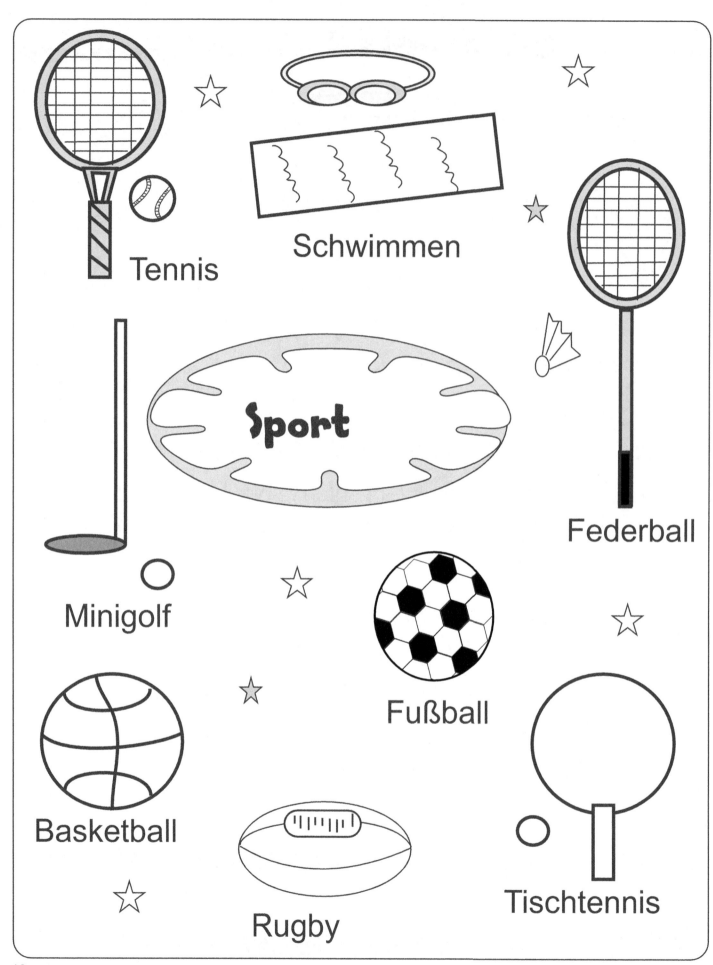

Tennis

Schwimmen

Sport

Federball

Minigolf

Fußball

Basketball

Rugby

Tischtennis

Sport

Schreib die Wörter ab und mal die Bilder ab:
(Copy the words and draw the pictures:)

Fußball

Fußball

Minigolf

Federball

Schwimmen

Rugby

Tennis

Tischtennis

Ich mag Sport! (I like sports)

1) Lies die Briefe: (Read the letters:)

Hallo!
Ich heiße Peter.
Ich mag Fußball.
Fußball ist toll.
Bis bald!
             Peter

Hallo!
Ich heiße Sarah.
Ich mag Tennis
und Federball.
Bis bald!
             Sarah

Hallo!
Ich heiße Franz.
Ich mag Rugby
und Schwimmen.
Bis bald!
             Franz

2) Beantworte die Fragen: (Answer the questions:)

a) Who likes rugby and swimming? *Sarah* _____

b) Who thinks football is great? (toll = great) _____

c) What sports does Sarah like? _____ and _____

3) Schreibe eine Antwort (Write a reply, saying your name and what sport you like. Use the following German phrases:)

Hallo = Hello

Ich heiße = my name is

Ich mag = I like

und = and

Bis bald = bye now

_____

_____

_____

_____

18

Wochentage (Days of the week)

Montag .... Monday
Dienstag .... Tuesday
Mittwoch .... Wednesday
Donnerstag .... Thursday
Freitag .... Friday
Samstag .... Saturday
Sonntag .... Sunday

Schreib das korrekte deutsche Wort neben das englische Wort:
(Write the correct German word next to the English word:)

Sonntag

a) Sunday _____

b) Friday _____

c) Monday _____

d) Saturday _____

e) Tuesday _____

f) Thursday _____

g) Wednesday _____

19

Montags spiele ich Tennis (On Monday I play tennis)

1) Lies den Brief: (Read the letter:)

Hallo!

Ich mag Sport.   Montags spiele ich Tennis.

Dienstags spiele ich Rugby. Rugby ist toll.

Mittwochs spiele ich Tischtennis.

Donnerstags spiele ich Basketball.

Freitags spiele ich Fußball.

Samstags spiele ich Federball.

Sonntags schwimme ich. Schwimmen ist toll.

Bis bald!

Stefanie

2) Beantworte die Fragen: (Answer the questions:)

On Wednesdays

a) What day does Stefanie play table tennis? _____

b) What day does she play badminton? _____

c) What day does she swim? _____

d) What does she play on Thursdays? _____

e) What does she play on Mondays? _____

f) What does she play on Fridays? _____

g) What does she play on Tuesdays? _____

Montags …. On Mondays   Dienstags … On Tuesdays   Mittwochs … On Wednesdays

Donnerstags … On Thursdays   Freitags………. On Fridays

Samstags …… On Saturdays   Sonntags ……On Sundays

Welchen Sport magst du?

(Which sports do you like?)

Imagine you meet a friendly German speaking alien who wants to know what various sports are like. Complete the sentences according to what you think each sport is like:

toll = great

langweilig = boring

einfach = easy

schwierig = hard

1) Wie ist Fußball?   Fußball ist _____ .

2) Wie ist Tennis?   Tennis ist _____ .

3) Wie ist Schwimmen?   Schwimmen ist _____ .

4) Wie ist Rugby?   Rugby ist _____ .

5) Wie ist Tischtennis?   Tischtennis ist _____.

6) Wie ist Minigolf?   Minigolf ist _____ .

7) Wie ist Federball?   Federball ist _____ .

Gitterrätsel (Wordsearch)

```
        U E N V C X
      O S C H W I M M E N
    K W Q N B V C C X T Z B
  I F E D E R B A L L I H A M
  U T T Y J M B C L X S R S I
  M E Y J N B C L S F C A K U
  I N U K N V A D R S H W E P
  Y N H J N B V C U C T D T R
  I I B F ß V C F G T E F B V
  B S T U R H N R B T N B A T
  K F Y M N T H Y F N T L K
  O M I N I G O L F I U L H
    M U J K L J H N S M I
      Y S P O R T L
```

Such die Wörter:
(Look for the words)

SPORT   SCHWIMMEN

TENNIS   FEDERBALL

RUGBY   BASKETBALL

FUßBALL   TISCHTENNIS

MINIGOLF

22

Es ist sonnig.

Es ist heiß.

Es ist schön.

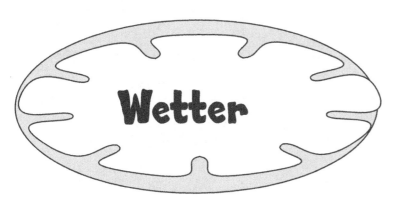  

Wetter

Es ist kalt.

Es regnet.

Es ist stürmisch.

Es schneit.

Das Wetter (the weather)

Verbinde die deutschen Wörter mit ihrem Bild:
(Draw a line between the German words and their picture:)

Es ist schön.

Es schneit.

Es regnet.

Es ist kalt.

Es ist sonnig.

Es ist heiß.

Es ist stürmisch.

24

Wie ist das Wetter? (What is the weather like?)

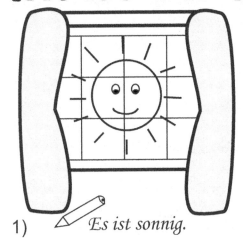

1) *Es ist sonnig.*

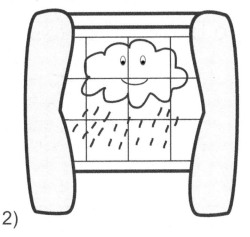

2) _____ .

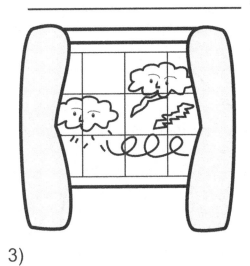

3) _____ .

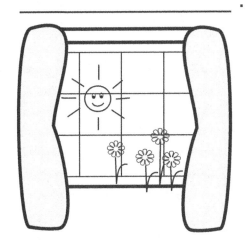

4) _____ .

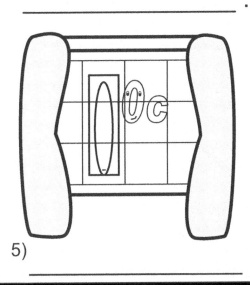

5) _____ .

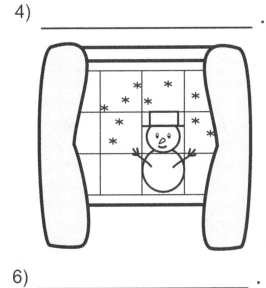

6) _____ .

 Es ist stürmisch   Es regnet   Es ist sonnig   Es ist schön   Es ist heiß   Es ist kalt   Es schneit

Wie ist das Wetter? (What is the weather like?)

Mal die Bilder: (Draw the pictures:)

Es ist kalt.

Es schneit.

Es ist sonnig.

Es regnet.

Es ist schön.

Es ist heiß.

Es ist stürmisch.

Es ist stürmisch   Es regnet   Es ist sonnig   Es ist schön   Es ist heiß   Es ist kalt   Es schneit

Das Wetter (the weather)

Montag Es ist heiß.	**Samstag** Es ist kalt.
Dienstag Es ist sonnig.	
Mittwoch Es ist schön.	
Donnerstag Es regnet.	**Sonntag** Es schneit.
Freitag Es ist stürmisch.	

Beantworte die Fragen: (Answer the questions:)

Tuesday

1) What day is it sunny? _____

2) What day is it cold? _____

3) What day is it raining? _____

4) What day is it hot? _____

5) What day is it snowing? _____

6) What day is it stormy? _____

7) What day is it nice weather? _____

Montag	Monday
Dienstag	Tuesday
Mittwoch	Wednesday
Donnerstag ...	Thursday
Freitag.........	Friday
Samstag	Saturday
Sonntag	Sunday

27

Gitterrätsel (Wordsearch)

Such die Wörter (Look for the words)

HEIß
KALT
SCHÖN
SONNIG
STÜRMISCH

WETTER
ES REGNET
ES SCHNEIT

```
W S R E T T E W F J
F E S O N N I G M E
G U K S L M N B ß H
H D I C M K F I G K
D T Y H K J E N K E
X G F Ö J H K C A S
S T Y N J K L M L C
C B H G F F C F T S
X S T Ü R M I S C H
S Y J K L H J U G D
E S S C H N E I T D
I U H J K L F V B H
X E S R E G N E T J
```

die Cola

die Cola light

die Limonade

Getränke

der Orangensaft

das Wasser

der Tee

der Kaffee

Welches Getränk ist das? (What drink is it?)

Schreib das korrekte deutsche Wort zu jedem Bild:
(Write the correct German word for each picture:)

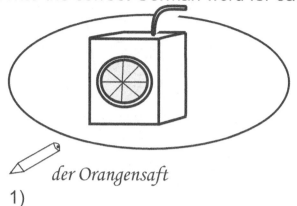

der Orangensaft

1) _____

2) _____

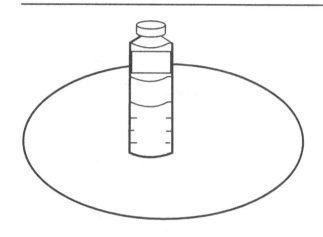

3) _____

4) _____

5) _____

6) _____

 die Cola   die Limonade   das Wasser   der Orangensaft   der Tee   der Kaffee

Malen macht Spaß! (Drawing is fun!)

Mal die richtige Anzahl der Dinge. (Draw the correct number of things):

a)
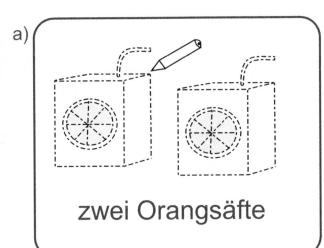
zwei Orangsäfte

1 = ein

2 = zwei

3 = drei

4 = vier

5 = fünf

b) vier Tees

c) fünf Limonaden

d) drei Kaffees

e) eine Cola light

Ich hätte gern....., bitte (I would like..., please)

In German, to ask for a drink use **Ich hätte gern**. This means I would like. After this, you need either **ein, einen** or **eine**:

Mineralwasser needs **ein** after Ich hätte gern ein Mineralwasser	Drinks using **einen** after Ich hätte gern : einen Orangensaft einen Tee einen Kaffee	Drinks using **eine** after Ich hätte gern : eine Cola eine Limonade eine Cola light

Bitte um die richtige Getränke: (Ask for the following drinks:)

a) *Ich hätte gern ein Mineralwasser, bitte.*

_____ .

b)

_____ .

c)

_____ .

d)

_____ .

e)

_____ .

Welche Getränke magst du? (What drinks do you like?)

 Ich mag (I like)	Ich mag keinen / keine / kein (I don't like)

Magst du Cola?

Ich mag Cola   /   Ich mag keine Cola

_____ .

Magst du Limonade?
Ich mag Limonade / Ich mag keine Limonade

_____ .

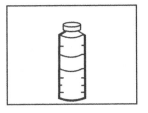

Magst du Wasser?
Ich mag Wasser / Ich mag kein Wasser

_____ .

Magst du Kaffee?
Ich mag Kaffee / Ich mag keinen Kaffee

_____ .

Magst du Tee?
Ich mag Tee / Ich mag keinen Tee

_____ .

Magst du Cola light?
Ich mag Cola light / Ich mag keine Cola light

_____ .

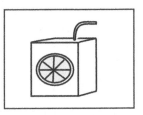

Magst du Orangensaft?
Ich mag Orangensaft / Ich mag keinen Orangensaft

_____ .

33

Gitterrätsel (wordsearch)

```
M I N E R A L W A S S E R
J K L M N B J U G J L U Y
T O R A N G E N S A F T H
D G J K L C O J G G V C R
G L K C O L A L I G H T J
I I N M N U J K G B V F I
M U J K E T E X Z D E
O U K E N E B V C V X
N U T J F K B Z O C R
A K A F U X L Z L R M
D D A J L U X G A T Y
E K U K L Z N O R A N
O R G E T R Ä N K E I
```

Such die Wörter: (look for the words)

COLA LIGHT   COLA

LIMONADE   TEE

ORANGENSAFT   KAFFEE

MINERALWASSER   GETRÄNKE

Haus

das Badezimmer

das Schlafzimmer

das Haus

die Küche

das Esszimmer

das Wohnzimmer

die Garage

der Garten

35

Das Haus (The house)

Schreib die Wörter ab und mal die Bilder ab:
(Copy the words and draw the pictures:)

das Haus

_____

das Wohnzimmer

_____

die Küche

_____

das Esszimmer

_____

das Schlafzimmer

_____

das Badezimmer

_____

der Garten

_____

Das Haus (The house)

Verbinde die deutschen Wörter mit ihrer englischen Bedeutung.

(Draw a line from the German words to their English meaning)

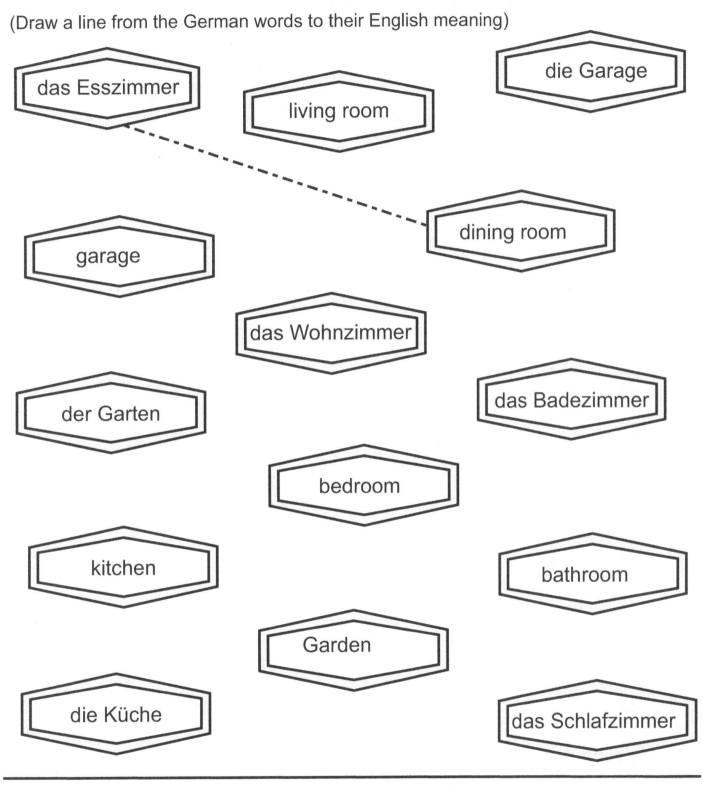

das Esszimmer

living room

die Garage

dining room

garage

das Wohnzimmer

das Badezimmer

der Garten

bedroom

kitchen

bathroom

Garden

die Küche

das Schlafzimmer

das Wohnzimmer = living room   die Küche = kitchen

das Badezimmer = bathroom   das Esszimmer = dining room

das Schlafzimmer = bedroom   die Garage = garage   der Garten = garden

Welche Farbe ist das? (What colour is it?)

1) Benutze die richtigen Farben: (Colour in using the correct colours:)

Das Wohnzimmer ist rot. (The living room is red)

Das Esszimmer ist gelb.

Die Küche ist grau.

Das Schlafzimmer ist lila.

Das Badezimmer ist blau.

Der Garten ist grün.

Die Garage ist weiß.

| das Schlafzimmer | das Badezimmer |

| der Garten | die Garage | die Küche | das Esszimmer | das Wohnzimmer |

2) Welche Farbe ist das? (What colour is it?)

a) The bedroom is _____ .

b) The living room is _____ .

c) The garage is _____ .

d) The dining room is _____ .

e) The kitchen is _____ .

f) The garden is _____ .

g) The bathroom is _____ .

rot = red	gelb = yellow	grau = grey	lila = purple
blau = blue	grün = green	weiß = white	

Wo sind die Tiere? (Where are the pets?)

Peter isn't sure where all his pets are. Look at the plan of a bungalow, and where the animals are:

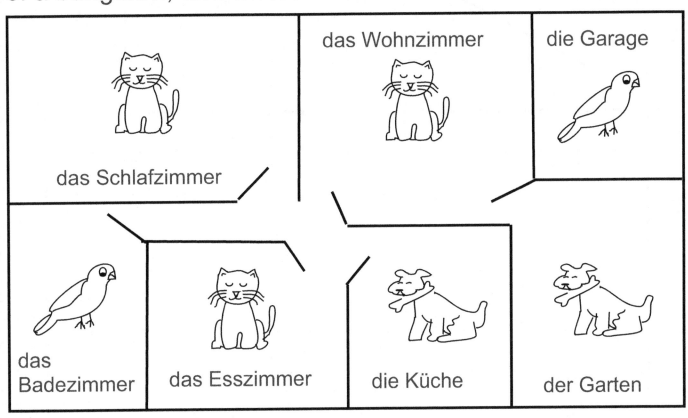

das Schlafzimmer | das Wohnzimmer | die Garage
das Badezimmer | das Esszimmer | die Küche | der Garten

Lies die Sätze. (Read the sentences.)
Sind sie richtig oder falsch?: (Are they true or false?)

true

1) Eine Katze ist im Wohnzimmer. _____ (A cat is in the living room.)

2) Ein Hund ist in der Küche. _____ (A dog is in the kitchen.)

3) Ein Vogel ist im Esszimmer. _____

4) Ein Hund ist im Schlafzimmer. _____

5) Ein Vogel ist im Badezimmer. _____

6) Eine Katze ist in der Garage. _____

7) Ein Hund ist im Garten. _____

eine Katze

ein Hund

ein Vogel

39

Gitterrätsel

(wordsearch)

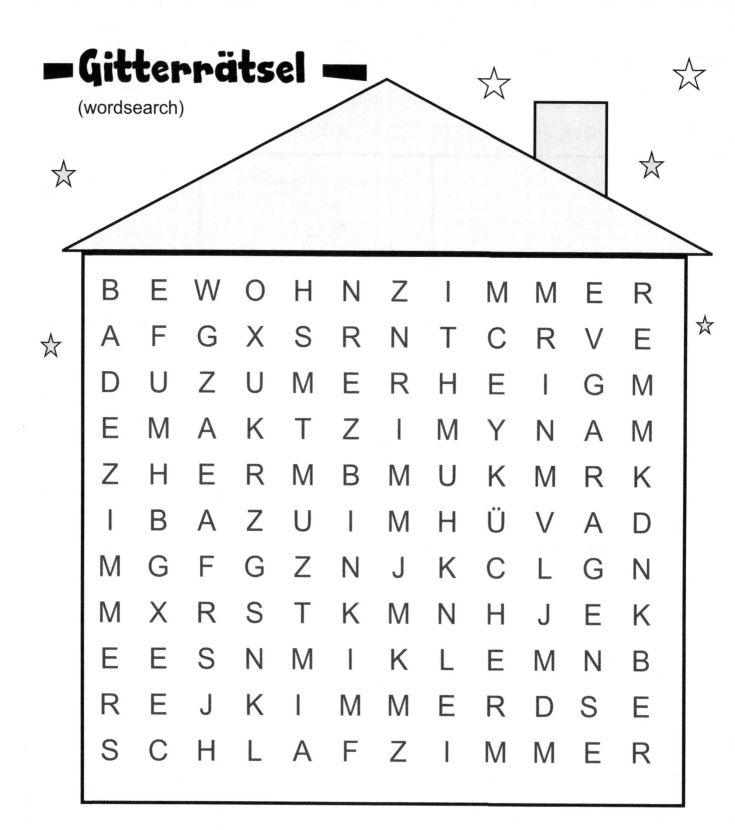

B	E	W	O	H	N	Z	I	M	M	E	R
A	F	G	X	S	R	N	T	C	R	V	E
D	U	Z	U	M	E	R	H	E	I	G	M
E	M	A	K	T	Z	I	M	Y	N	A	M
Z	H	E	R	M	B	M	U	K	M	R	K
I	B	A	Z	U	I	M	H	Ü	V	A	D
M	G	F	G	Z	N	J	K	C	L	G	N
M	X	R	S	T	K	M	N	H	J	E	K
E	E	S	N	M	I	K	L	E	M	N	B
R	E	J	K	I	M	M	E	R	D	S	E
S	C	H	L	A	F	Z	I	M	M	E	R

Such die Wörter (look for the words)

HAUS	GARAGE	BADEZIMMER
KÜCHE	ESSZIMMER	SCHLAFZIMMER
GARTEN	WOHNZIMMER	

40

German		English	
	acht		eight
	achtzehn		eighteen
das	Badezimmer	the	bathroom
	Basketball		basketball
	Bis bald		Bye now
	bitte		please
	blau		blue
	braun		brown
die	Cola	the	coke
die	Cola light	the	diet coke
	Dienstag		Tuesday
	Donnerstag		Thursday
	drei		three
	dreizehn		thirteen
	einfach		easy
	eins		one
	elf		eleven
	Es ist heiß		It's hot
	Es ist kalt		It's cold
	Es ist schön		It's nice weather
	Es ist sonnig		It's sunny
	Es ist stürmisch		It's stormy
	Es regnet		It's raining
	Es schneit		It's snowing
das	Esszimmer	the	dining room
	Federball		badminton
der	Fisch	the	fish
	Fische		fishes
	Freitag		Friday
	fünf		five
	fünfzehn		fifteen
	Fußball		football
die	Garage	the	garage
der	Garten	the	garden
	gelb		yellow
die	Getränke	the	drinks
	grau		grey
	grün		green
	hallo		hello
	Hast du…..?		Do you have….?
das	Haus	the	house
der	Hund	the	dog
	Hunde		dogs
	Ich habe ….		I have
	Ich hätte gern		I would like
	Ich heiße ….		My name is …
	Ich mag		I like
	Ich spiele		I play
der	Kaffee	the	coffee
	Kaffees		coffees

German		English	
die	Küche	the	kitchen
	langweilig		boring
die	Limonade	the	lemonade
	Limonaden		lemonades
	Magst du….?		Do you like….?
die	Maus	the	mouse
	Mäuse		mice
	Minigolf		mini-golf
	Mittwoch		Wednesday
	Montag		Monday
	neun		nine
	neunzehn		nineteen
	orange		orange
der	Orangensaft	the	orange juice
	Orangensäfte		orange juices
das	Pferd	the	horse
	Pferde		horses
	rot		red
	Rugby		rugby
	Samstag		Saturday
die	Schildkröte	the	tortoise
	Schildkröten		tortoises
das	Schlafzimmer	the	bedroom
	schwarz		black
	schwierig		difficult
das	Schwimmen		swimming
	sechs		six
	sechzehn		sixteen
	sieben		seven
	siebzehn		seventeen
	Sonntag		Sunday
der	Tee	the	tea
	Tees		teas
	Tennis		tennis
die	Tiere	the	animals
	Tischtennis		table tennis
	toll		great
	und		and
	vier		four
	vierzehn		fourteen
der	Vogel	the	bird
	Vögel		birds
das	Wasser	the	water
	weiß		white
das	Wetter	the	weather
die	Wochentage	the	days of the week
das	Wohnzimmer	the	living room
die	Zahlen	the	numbers
	zehn		ten
	zwanzig		twenty

Answers

Page 2

1) der Fisch
2) das Kaninchen
3) das Pferd
4) der Hund
5) die Katze
6) der Vogel
7) die Maus
8) die Schildkröte

Page 3

1) der Hund
2) der Vogel
3) die Katze
4) das Pferd
5) das Kanichen
6) die Maus
7) die Schildkröte

Page 4

sieben Hunde   drei Fische
vier Pferde   zwei Mäuse
fünf Vögel   acht Kaninchen
drei Katzen   vier Schildkröten

Page 5

1) Thomas   4) a rabbit
2) Peter   5) Benjamin
3) a cat   6) Caroline

Page 6

The horse is brown.
The bird is red.
The tortoise is green.
The rabbit is grey.
The cat is black.
The mouse is white.
The dog is brown.
The fish is yellow.
The fish is blue.

Page 7

	What pet does he/she have?	What colour is the pet?	What would he/she like?
Peter	a fish	orange	a dog
Sefanie	a cat	black	a horse
Sarah	a tortoise	brown	a rabbit

Page 8

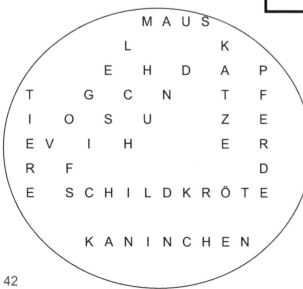

Page 10

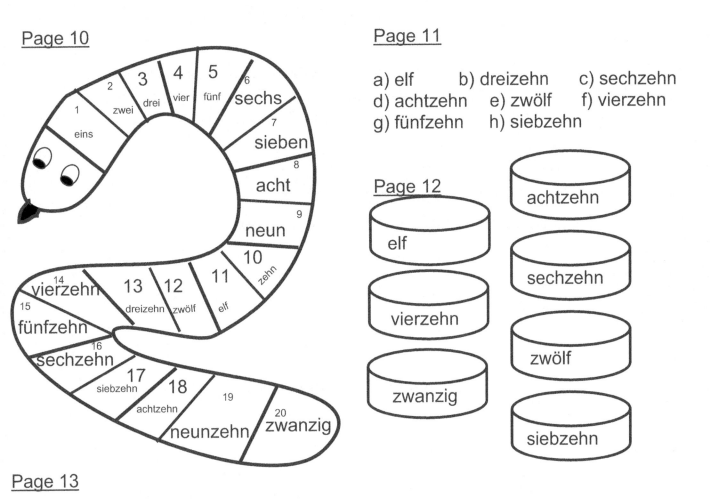

Page 11

a) elf   b) dreizehn   c) sechzehn
d) achtzehn   e) zwölf   f) vierzehn
g) fünfzehn   h) siebzehn

Page 12

Page 13

The robots should be coloured as follows:
Robot number 11 is red.   Robot number 17 is pink.   Robot number 20 is green.
Robot number 14 is blue.   Robot number 13 is yellow.   Robot number 16 is purple.

Page 14

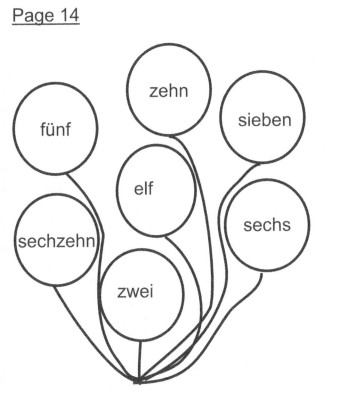

Page 15

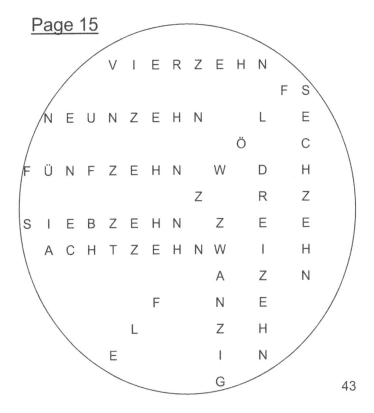

43

Page 17

A picture should be drawn the following, and the German words should be copied:

Fußball = football   Minigolf = Mini-golf   Federball = badminton
Schwimmen = swimming   Rugby = rugby   Tennis = tennis   Tischtennis = table tennis

Page 18

2a) Franz   b) Peter   c) tennis and badminton

3) The phrases should be in the following order, and completed:
Hallo,
Ich heiße ……..,
Ich mag …….. und ……..
Bis bald!

Page 19

a) Sonntag   b) Freitag   c) Montag   d) Samstag   e) Dienstag
f) Donnerstag   g) Mittwoch

Page 20

1) On Wednesdays   2) On Saturdays   3) On Sundays   4) Basketball
5) Tennis   6) Football   7) Rugby

Page 21

The sentences should be completed with either toll, langweilig, einfach or schwierig (Depending on what you think about the sport).

Page 22

Page 24

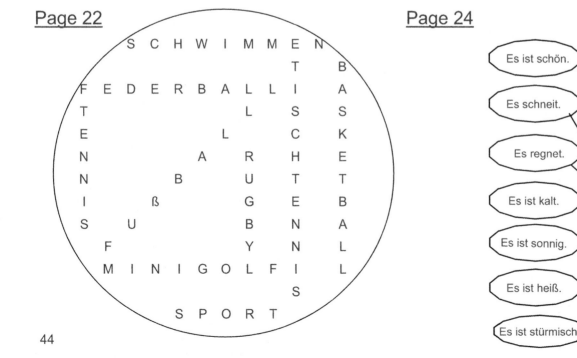

44

Page 25

1) Es ist sonnig.   2) Es regnet.   3) Es ist stürmisch.   4) Es ist schön.
5) Es ist kalt.   6) Es schneit.

Page 26

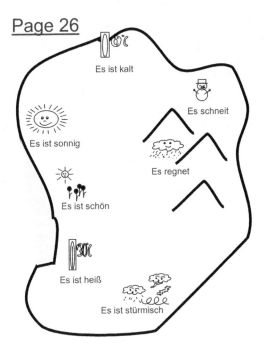

Page 27

1) Tuesday
2) Saturday
3) Thursday
4) Monday
5) Sunday
6) Friday
7) Wednesday

Page 28

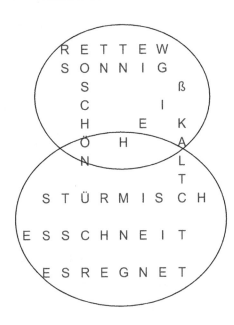

Page 30

1) der Orangensaft   2) die Cola   3) das Wasser   4) die Limonade
5) der Kaffee   6) der Tee

Page 31

The following should be drawn:
a) 2 orange juices   b) 4 teas   c) 5 lemonades   d) 3 coffees   e) 1 diet coke

Page 32

a) Ich hätte gern ein Mineralwasser, bitte.   b) Ich hätte gern eine Cola light, bitte.
c) Ich hätte gern einen Orangensaft, bitte.   d) Ich hätte gern einen Tee, bitte.
e) Ich hätte gern eine Limonade, bitte

Page 33

If you like the drink write:
Ich mag Cola
Ich mag Limonade
Ich mag Wasser
Ich mag Kaffee
Ich mag Tee
Ich mag Cola light
Ich mag Orangensaft

If you don't like the drink write:
Ich mag keine Cola
Ich mag keine Limonade
Ich mag kein Wasser
Ich mag keinen Kaffee
Ich mag keinen Tee
Ich mag keine Cola light
Ich mag keinen Orangensaft

Page 34

M I N E R A L W A S S E R

  O R A N G E N S A F T

  L   C O L A L I G H T

  I

  M   E   E

  O   E   E   C

  N   T   F   O

  A   F   L

  D   A   A

  E K

     G E T R Ä N K E

Page 37

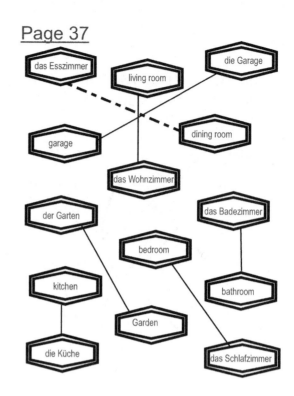

Page 38

1) The rooms in the house should be coloured as follows:

The living room is red.   The dining room is yellow.   The kitchen is grey.
The bedroom is purple.   The bathroom is blue.   The garden is green.
The garage is white.

2a) purple   b) red   c) white   d) yellow   e) grey   f) green   g) blue

Page 39

1) true
2) true
3) false
4) false
5) true
6) true
7) true

Page 40

B		W	O	H	N	Z	I	M	M	E	R
A				S		N			R		
D		U		E			E		G		
E	A		T			M			A		
Z	H		R			M		K	R		
I		A			I			Ü	A		
M	G			Z				C	G		
M			S					H	E		
E		S						E			
R	E										
S	C	H	L	A	F	Z	I	M	M	E	R

For children aged 7 - 11 there are the following books by Joanne Leyland:

Italian
Cool Kids Speak Italian (books 1, 2 & 3)
On Holiday In Italy Cool Kids Speak Italian
Photocopiable Games For Teaching Italian
Stories: Un Alieno Sulla Terra,   La Scimmia Che Cambia Colore,   Hai Un Animale Domestico?

French
Cool Kids Speak French (books 1 & 2)
Cool Kids Speak French - Special Christmas Edition
On Holiday In France Cool Kids Speak French
Photocopiable Games For Teaching French
Cool Kids Do Maths In French
Stories: Un Alien Sur La Terre,   Le Singe Qui Change De Couleur,   Tu As Un Animal?

Spanish
Cool Kids Speak Spanish (books 1, 2 & 3)
Cool Kids Speak Spanish - Special Christmas Edition
On Holiday In Spain Cool Kids Speak Spanish
Photocopiable Games For Teaching Spanish
Cool Kids Do Maths In Spanish
Stories: Un Extraterrestre En La Tierra, El Mono Que Cambia De Color, Seis Mascotas Maravillosas

German
Cool Kids Speak German (books 1, 2 & 3)

English as a foreign language
Cool Kids Speak English (books 1 & 2)

For children aged 5 - 7 there are the following books by Joanne Leyland:

French
Young Cool Kids Learn French
Sophie And The French Magician
Daniel And The French Robot (books 1, 2 & 3)
Daniel And The French Robot Teacher's Resource Book
Jack And The French Languasaurus (books 1, 2 & 3)

German
Young Cool Kids Learn German

Spanish
Young Cool Kids Learn Spanish
Sophie And The Spanish Magician
Daniel And The Spanish Robot (books 1, 2 & 3)
Daniel And The Spanish Robot Teacher's Resource Book
Jack And The Spanish Languasaurus (books 1, 2 & 3)

For more information on the books available, and different ways of learning a foreign language go to https://**foreignlanguagesforchildren.com**

Made in the USA
Las Vegas, NV
06 June 2021